A ÚNICA ESPERANÇA DOS DOIS ERA VENDER A VACA LEITEIRA QUE TINHAM. ENTÃO, JOÃO PEGOU A VAQUINHA E PARTIU PARA A CIDADE.

CHEGANDO LÁ, JOÃO VIU UMA PLACA EM QUE SE LIA "FEIJÕES MÁGICOS" E FICOU MUITO CURIOSO. O DONO DOS FEIJÕES CONVENCEU JOÃO A TROCAR A VAQUINHA PELOS GRÃOS MÁGICOS.

AO VOLTAR PARA CASA, JOÃO CONTOU À MÃE O QUE HAVIA ACONTECIDO. ELA FICOU FURIOSA PORQUE O FILHO HAVIA VOLTADO PARA CASA SEM O DINHEIRO E JOGOU OS FEIJÕES PELA JANELA.

NO DIA SEGUINTE, JOÃO ACORDOU CEDO E, AO ABRIR A JANELA, TEVE UMA SURPRESA: HAVIA UM PÉ DE FEIJÃO GIGANTE EM SEU QUINTAL!

O GAROTO DECIDIU ESCALAR O GRANDE PÉ DE FEIJÃO PARA VER O QUE HAVIA LÁ EM CIMA. CHEGANDO AO TOPO, JOÃO AVISTOU UM ENORME CASTELO ACIMA DAS NUVENS. ENTÃO, ELE FOI EM DIREÇÃO AO LUGAR.

ENTRANDO NO CASTELO, JOÃO AVISTOU UMA SALA REPLETA DE TESOUROS. DE REPENTE, VIU UM GIGANTE DORMINDO E O RECONHECEU: ERA O MESMO QUE HAVIA ROUBADO O TESOURO DE SUA FAMÍLIA!

JOÃO PEGOU UM SACO, ENCHEU-O DE MOEDAS DE OURO E, QUANDO SE PREPARAVA PARA IR EMBORA, O GIGANTE DESPERTOU COM O BARULHO E VIU O MENINO. FURIOSO, O GRANDÃO SAIU CORRENDO E GRITANDO ATRÁS DE JOÃO.

JOÃO CORREU RÁPIDO E DESCEU PELO PÉ DE FEIJÃO, CARREGANDO O SACO COM AS MOEDAS. QUANDO ESTAVA LÁ EMBAIXO, VIU QUE O GIGANTE TAMBÉM ESTAVA DESCENDO. ENTÃO, O MENINO PEGOU UM MACHADO E COMEÇOU A CORTAR O PÉ DE FEIJÃO. O GIGANTE NÃO TEVE COMO CONTINUAR E VOLTOU PARA O CASTELO.